父收養李祖母

供母
事先
繼意

承志

亡之孝

敬存

禮豐
闕
無
臬
遺
以

鄉人為
之諺曰

歡雚　重

矗矗　親見

景　致至

完軒

易德

世禾

隙真名

攻其從

政
清
撰

夷
齊
貞

暴史魚

麗郡石

戝職上計

揆史仍

辟凉
常州
爲治

中　紀

別　緄

駕　萬

里

不

未

譯

出

柴

界諸郡

禪梧絀

遠偕

近服

憚德

二　威

韋　建

舉　寧

孝廉除

郎中拜

西域戊
部司馬

國時

王疏

和勒

德宣
戢位
戈不

君　共

　　興　職

陟　亨

延　宛

討寸　腰月

有

仁

之

勿

惠

醉 翠

工父

謀茉

若涌

城

堅

戰

泉威年諸賞和

顯　後

元　面

還　縛

陸

摶

旅

諸

園

禮

遭官
且萬
二悲

以薄官

還右扶

風令

櫻遣思

里尚